Chiesa dei Gesuati

W9-CEY-233

arte e devozione

Ministero per i Beni Culturali e Ambientali
Soprintendenza ai Beni Artistici e Storici di Venezia
Curia Patriarcale di Venezia

a cura di
Antonio Niero
Filippo Pedrocco

Marsilio

Referenze fotografiche
Archivio Marsilio, Venezia
Osvaldo Böhm, Venezia
Soprintendenza ai Beni
Artistici e Storici di Venezia

© 1994 by Tara s.r.l., Roma
e Venezia
© 1994 by Marsilio Editori® s.p.a.
in Venezia
ISBN 88-317-6149-8

Per secoli l'arte della città – voluta e realizzata per i suoi edifici di culto, i suoi palazzi, le sue magistrature – si è costretta al chiuso del Museo, quasi cercando riparo dalle aggressioni dell'uomo, dalle offese della natura e dall'ingiuria del tempo.
In un sol luogo il Museo si è aperto alla città, in un rapporto di appartenenza e di amore: la Chiesa, luogo di sintesi sublime e perenne di culto e di cultura.
Qui l'arte e la storia da sempre esprimono e conservano i propri documenti e testimonianze, segni d'amore e devozione, di intelligenza e bellezza.
Qui, nelle opere artistiche e nei monumenti, nelle biblioteche e negli archivi il passato continuamente si attualizza, nella comunicazione di ideali e valori, che «parlano», a chi sa e si dispone ad intenderli, della gloria di Dio e della grandezza dell'Uomo.
Orbene, questa nuova collana di guide delle Chiese di Venezia vuole evidenziare proprio la contestualità e la centralità di tale rapporto, nel rinnovato impegno di collaborazione e di dialogo tra lo Stato e la Chiesa, ormai consolidato nella coscienza e nella cultura della nostra gente.

Giugno 1994

MARCO CÈ
Patriarca di Venezia

FRANCESCO SISINNI
Direttore generale
del Ministero per i Beni
Culturali e Ambientali

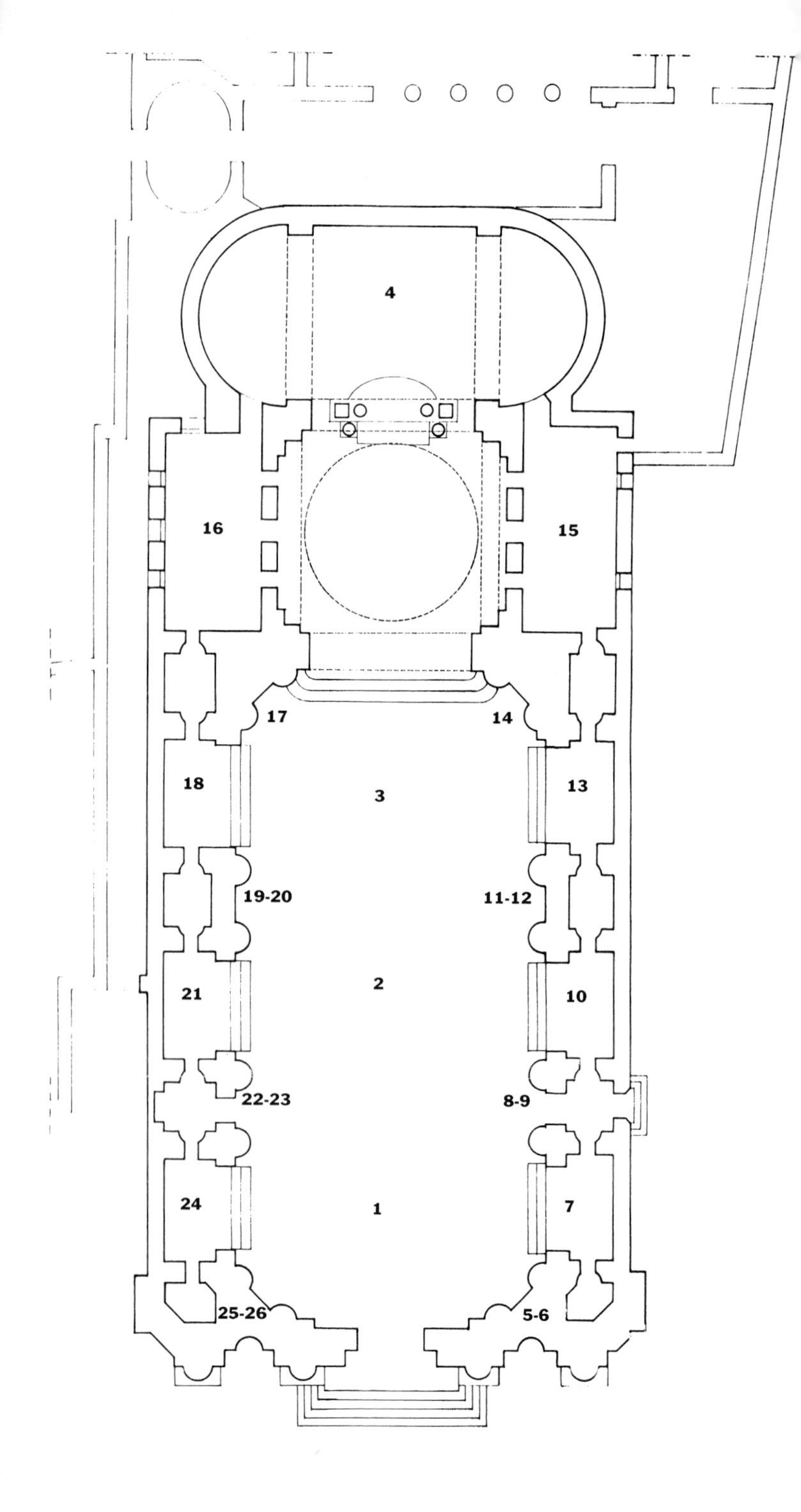
4
16
15
17
14
18
3
13
19-20
11-12
21
2
10
22-23
8-9
24
1
7
25-26
5-6

SOFFITTO DELLA NAVATA

1. Giambattista Tiepolo, *Gloria di san Domenico*, 1737-39
2. Giambattista Tiepolo, *Istituzione del Rosario*, 1737-39
3. Giambattista Tiepolo, *Apparizione della Vergine a san Domenico*, 1737-39

SOFFITTO DEL CORO

4. Giambattista Tiepolo, *David che suona l'arpa*, 1737-39

NAVATA DESTRA

5. Gian Maria Morlaiter, *Abramo*, 1754
6. Gian Maria Morlaiter, *Gesù e il centurione*, 1754
7. Giambattista Tiepolo, *La Vergine appare alle sante Rosa da Lima, Caterina da Siena e Agnese da Montepulciano*, 1748
8. Gian Maria Morlaiter, *Aronne*, 1750
9. Gian Maria Morlaiter, *Gesù guarisce il cieco*, 1750
10. Gian Maria Morlaiter e Giambattista Piazzetta, *Gloria d'angeli*, 1739, e *San Domenico*, 1743
11. Gian Maria Morlaiter, *San Paolo Apostolo*, 1747
12. Gian Maria Morlaiter, *Gesù appare alla Maddalena*, 1743
13. Giambattista Piazzetta, *Visione dei santi Lodovico Bertrando, Vincenzo Ferreri, e Giacinto*, 1738
14. Gian Maria Morlaiter, *Apparizione di Gesù a Tommaso*, 1747

SACRESTIA DESTRA

15. Alessandro Longhi, *Ritratto del parroco Antonio Ferrari*, 1797

SACRESTIA SINISTRA

16. Stefano da Sant'Agnese, *Madonna col Bambino*, 1375-80

NAVATA SINISTRA

17. Gian Maria Morlaiter, *Battesimo di Cristo*, 1746
18. Jacopo Tintoretto, *Crocifissione*, 1565 circa
19. Gian Maria Morlaiter, *San Pietro*, 1744
20. Gian Maria Morlaiter, *La Samaritana al pozzo*, 1744
21. Antonio Bosa, *Madonna del Rosario*, 1836
22. Gian Maria Morlaiter, *Mosè*, 1748-50
23. Gian Maria Morlaiter, *La piscina probatica*, 1748-50
24. Sebastiano Ricci, *San Pio V, san Tommaso d'Aquino e san Pietro martire*, 1730-33
25. Gian Maria Morlaiter, *Melchisedech*, 1755
26. Gian Maria Morlaiter, *San Pietro salvato dalle acque*, 1755

Francesco Lurano,
Facciata della chiesa della Visitazione

Le vicende storiche

L'imponente mole settecentesca della chiesa dedicata a Santa Maria del Rosario – popolarescamente nota a Venezia col nome di chiesa dei Gesuati – si erge sulla fondamenta delle Zattere, prospettando la monumentale facciata sul canale della Giudecca. Come lo vediamo adesso, l'assetto dell'area su cui tra il terzo e il quarto decennio del Settecento è sorta la chiesa risulta profondamente modificato, soprattutto a seguito dell'interramento operato nel 1838 del rio di Sant'Agnese che scorreva a destra rispetto alla facciata (è l'attuale rio terà Antonio Foscarini), collegando il Canal Grande con il canale della Giudecca. Si è persa così, almeno in parte, un'ambientazione caratteristica, tipicamente veneziana, con il grande edificio inserito all'interno di una struttura urbana minuta e assai articolata, con ponti, brevi *fondamente* e canali.

E invece, proprio il rapporto tra la nuova chiesa e l'assetto urbano preesistente deve essere stato uno dei problemi più complessi affrontati dall'architetto GIORGIO MASSARI (Venezia, 1686-1766) all'atto della progettazione di quest'edificio, che rappresenta la sua prima opera importante a Venezia, quasi il suo esordio sull'esigente palcoscenico artistico locale.

I GESUATI A VENEZIA E LA CHIESA DELLA VISITAZIONE

Si ha notizia della presenza a Venezia di religiosi dell'ordine laico detto dei Gesuati, fondato a Siena, fin dal 1390; al 1397 risale il loro insediamento nella contrada di Sant'Agnese, dove occuparono le case lasciate per via testamentaria al gesuato Zaccaria Anselmi da Pietro del Sasso. In questo modo l'Ordine ebbe il suo primo convento, che verrà poi ingrandito nel corso del medio Quattrocento, sfruttando in particolare un lascito del marchese di Mantova (1422). Nel 1493 i Gesuati avevano dato inizio alla costruzione della loro chiesa conventuale, destinata a sostituire il preesistente oratorio: si tratta del piccolo edificio consacrato nel 1524 e dedicato dapprima a San Girolamo e successivamente a Santa Maria della Visitazione, tuttora esistente a sinistra della chiesa massariana.

La sua semplice struttura costituisce un notevolissimo esempio di raffinata architettura sacra rinascimentale, e non a caso la sua ideazione, che in realtà spetta a Francesco da Mandello per la struttura e a Francesco Lurano per la facciata, è stata attribuita ora a Mauro Codussi, ora a Tullio Lombardo, i maggiori interpreti di questo stile a Venezia. La chiesa ha una lineare facciata a capanna divisa su due ordini, sormontata da un frontone triangolare decorato nel timpano da un bassorilievo con due angeli inginocchiati che reggono il trigramma sacro ideato da san Bernardino da Siena. Sul coronamento sono collocate tre statue, coeve alla costruzione dell'edificio, raffiguranti *Il Redentore*, *San Girolamo* e un altro santo, secondo alcuni identificabile in *San Giuseppe*. I due ordini della facciata sono tripartiti da capitelli corinzi. Quello superiore è alleggerito dalla presenza dell'oculo centrale, che ha ai lati due monofore, mentre su quello inferiore si apre l'elegantissimo portale con pilastri e architrave arricchiti da raffinati rilievi marmorei e sormontato dal timpano curvilineo coronato da una cimasa.

L'interno della chiesa, a navata uni-

ca, è stato utilizzato, a partire dal medio Settecento, dopo la costruzione della nuova chiesa dei Gesuati, quale biblioteca del convento. Qui, entro i grandi armadi lignei progettati dal Massari, aveva trovato posto anche la collezione di libri e di manoscritti lasciata ai Domenicani da Apostolo Zeno alla sua morte nel 1750. Nell'Ottocento gli armadi sono stati trasferiti nella vicina Accademia di Belle Arti.
Come lo vediamo adesso, l'interno della chiesa della Visitazione risulta pressoché completamente spogliato della sua decorazione: resta solo il soffitto ligneo a cassettoni, arricchito da un fregio ad affresco lungo le pareti e da cinquantotto tele collocate entro i comparti del soffitto. Questo gruppo di dipinti, databile alla fine del Quattrocento o agli esordi del secolo successivo, riveste una notevole importanza, costituendo, come è stato recentemente accertato (Bora, 1992), la più antica testimonianza della presenza a Venezia di artisti lombardi aggiornati sulla cultura leonardesca.
Ben poco si sa dei numerosi altri dipinti che erano presenti nella chiesa ancora nel Settecento. Alle Gallerie dell'Accademia di Venezia è confluita nel primo Ottocento la grande tavola firmata da Francesco Rizzo da Santacroce raffigurante l'*Apparizione di Cristo risorto* che dalla chiesa della Visitazione era stata trasferita nel convento dei Domenicani nel corso del Settecento; la pala del Tintoretto con la *Crocifissione* è stata collocata nel 1743 nella nuova chiesa dei Gesuati; si ha vaga notizia delle tele che costituivano le portelle dell'organo, attribuite in passato addirittura a Tiziano, forse identificabili in quelle ora in una collezione privata; nulla si sa, viceversa, delle opere di un artista sei-settecentesco fiammingo appartenente all'ordine dei Domenicani e noto dai documenti contemporanei col nome di Gerardo Fiandrese, due pale con la *Visitazione* e *Santa Rosa da Lima* e altre tele collocate in origine presso l'organo.

I DOMENICANI AI GESUATI

L'ordine dei Gesuati ebbe notevole importanza a Venezia, anche a seguito dei privilegi ottenuti dal doge Nicolò Marcello nel 1475 e dal papa Sisto v. In particolare i Gesuati godevano dell'esclusiva dell'accompagnamento dei defunti alla sepoltura e della privativa della distillazione del vino. Ma, diminuite in modo sensibile le vocazioni, l'Ordine venne soppresso da papa Clemente ix nel 1668, forse anche a causa dell'eccessiva disinvoltura dimostrata nella gestione degli affari dagli affiliati.
Il convento veneziano, messo all'asta, venne acquistato l'anno successivo dai Domenicani, che si installarono nel 1670 nella nuova sede, detta da allora dei Domenicani ai Gesuati. Ben presto la piccola chiesa della Visitazione si dimostrò insufficiente alle esigenze dei devoti, tanto che, già a partire dal secondo decennio del Settecento, i Domenicani giunsero alla decisione di costruirne una nuova, più ampia e di maggiore rilevanza architettonica.

LA COSTRUZIONE DELLA NUOVA CHIESA

Il primo progetto fu elaborato dal matematico candiota ANDREA MUSALO (Candia 1666 - Venezia 1721), che propose un edificio impostato su due cappelle di fondo, due pulpiti e un presbiterio sormontato da una cupola: una struttura architettonica semplice, priva di forme decorative elaborate che, giustamente, la critica ritiene precorresse le teorie del Lodoli e le realizzazioni dell'architettura funzionalista. La morte del Musalo bloccò la realizzazione di questo progetto che, malgrado l'interessamento del suo discepolo Giovanni Scalfarotto, rimase sulla carta; così la costruzione della nuova chiesa venne affidata a Giorgio Massari, sulla base di un modello presentato nel 1724. A partire dal mese di settembre dell'anno successivo il nome del

Massari appare mensilmente nel libro di spese dei frati: segno evidente che a tale data erano iniziati i lavori di costruzione della chiesa e che quindi era necessaria la presenza dell'architetto nel cantiere.
Per finanziare i lavori i Domenicani ricorsero inizialmente alla carità dei fedeli; ma, data la scarsità delle risorse economiche così reperite, i frati giunsero alla determinazione di chiedere denaro alle Scuole di devozione e ai Suffragi. Regista dell'operazione di finanziamento fu il milanese padre Carlo Maria Lazzaroni, il quale ha lasciato una storia manoscritta che è di notevole aiuto, assieme ai libri-cassa del convento tuttora conservati, per la precisa ricostruzione delle vicende edificatorie dell'edificio. L'indefessa opera del Lazzaroni fu premiata da un grande successo: risulta infatti dal riepilogo delle spese generali per la nuova fabbrica steso il 31 dicembre del 1756 che il costo complessivo della costruzione della chiesa fu di ben 158.124 ducati, una cifra questa davvero notevole.
Contrariamente a quella che era una prassi comune nella Venezia del Settecento, quando era assolutamente normale abbattere edifici antichi per costruire quelli nuovi utilizzando le fondamenta preesistenti, il Massari, dando prova in questo di una notevole sensibilità, rispettò l'esistenza della chiesa rinascimentale della Visitazione, impostando la nuova fabbrica sull'area adiacente, allora occupata dall'ala orientale dell'antico monastero, dove erano allogate le cucine e il refettorio.
Non v'è dubbio che il Massari non progettò solo la struttura muraria della chiesa, ma anche tutto il suo apparato decorativo, dagli altari ai banchi, fino ai confessionali e al coro, dimostrandosi in questo degno erede della tradizione dei *proti* veneziani, del Longhena, ma, risalendo all'indietro, anche del Codussi e dei Lombardo. Il Massari inizia ai Gesuati la sua collaborazione con Giambattista Tiepolo, che lavorerà assai spesso con l'architetto, alla Pietà, a palazzo Labia, a Ca' Rezzonico e altrove, e con lo scultore Gian Maria Morlaiter, altro suo fidato collaboratore fino all'ultimissima impresa, la ristrutturazione, portata a compimento poi dal Maccaruzzi, della Scuola della Carità (ora Gallerie dell'Accademia).
Tutto, all'interno e all'esterno dei Gesuati, è frutto di una progettazione evidentemente unitaria, che ha a monte una precisa scelta di ordine celebrativo che non può essere stata suggerita all'architetto che dai committenti. Non è giunto sino a noi il programma figurativo della chiesa: tuttavia non v'è dubbio che in essa, e tramite essa, i Domenicani volessero esaltare la devozione del Rosario e celebrare le glorie dell'Ordine.

Giorgio Massari,
Facciata della chiesa dei Gesuati

L'esterno

Come si è detto, per l'esterno della nuova chiesa il Massari dovette tener conto di due fattori: da un lato l'inserimento dell'edificio nel tessuto urbano più prossimo, dall'altro il fatto che l'edificio andava naturalmente a confrontarsi con alcuni dei capolavori del massimo architetto attivo a Venezia nel secondo Cinquecento: quell'Andrea Palladio cui spettano le tre chiese del Redentore e delle Zitelle (almeno per quel che riguarda il progetto di base) alla Giudecca e di San Giorgio Maggiore nell'isola omonima, che costituiscono l'ambito ottico privilegiato delle Zattere.
In qualche modo, per la sua collocazione, la chiesa dei Gesuati veniva – e viene – a porsi come l'elemento conclusivo di quella serie di edifici religiosi che ruota attorno al perno centrale della basilica longheniana della Salute, affacciandosi sul bacino di San Marco e sul primo tratto del canale della Giudecca. Da questo forse deriva la particolare attenzione posta dal Massari nel progettare la facciata della nuova chiesa proprio alle realizzazioni palladiane e, in particolare, al Redentore.
Del resto, il Massari può ben essere considerato – nell'ambito del *revival* cinquecentesco che connota una parte della produzione artistica veneziana del XVIII secolo – l'ideale continuatore del Palladio, come il Tiepolo lo fu di Paolo Veronese. L'architetto sosteneva, come riporta Andrea Memmo nel suo prezioso volume sull'architettura di padre

Jacopo de' Barbari,
Pianta prospettica di Venezia,
particolare con l'area dei Gesuati

Veduta aerea
della chiesa dei Gesuati

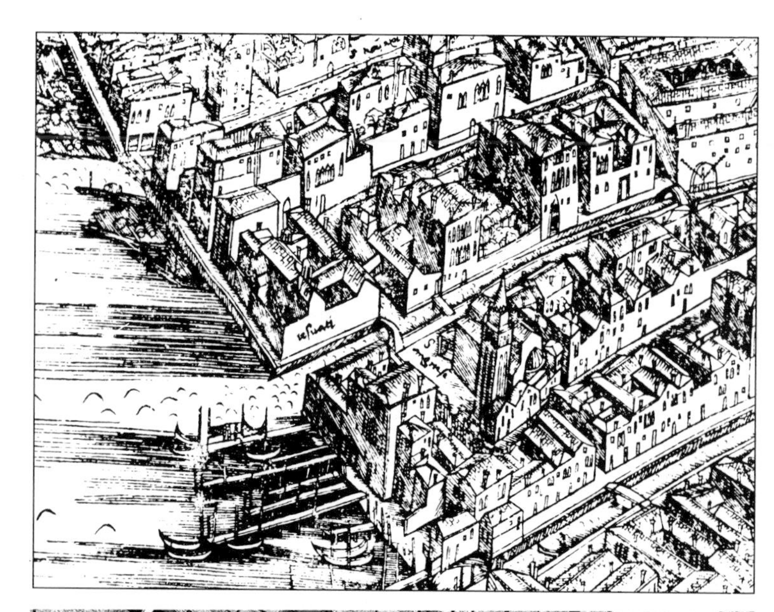

Lodoli, la necessità di «imitare il meglio e il più che [...] si può, l'opere che sono nella stima maggiore, evitandone con diligenza i difetti». Quindi, a suo dire, per ottenere il favore dei committenti era meglio non produrre idee originali, quanto piuttosto un progetto «imitante per esempio una facciata del Palladio o del Vignola». E a questa filosofia, cui il Massari si attenne per tutta la vita, è certo improntata anche la progettazione della chiesa dei Gesuati.

La facciata, alta 27,25 metri, è a unico ordine, suddivisa da quattro altissime semicolonne corinzie sulle quali, oltre l'elegante cornicione lavorato a dentelli da FRANCESCO BONAZZA, è impostato il timpano triangolare con foro ovato al centro. Sopra l'imponente portale incassato, sormontato da un timpano curvilineo, si trova la lapide dedicatoria, inserita entro una mossa cornice marmorea, lavorata anch'essa dal Bonazza. Negli spazi laterali, entro grandi nicchie, sono collocate le statue della *Prudenza*, opera di GAETANO SUSALI, della *Giustizia*, di FRANCESCO BONAZZA, della *Fortezza* di GIUSEPPE BERNARDI detto IL TORRETTI, tutte eseguite nel 1736, e quella della *Temperanza*, scolpita nel 1737 da ALVISE TAGLIAPIETRA. Uno stretto fascio di colonne e di pilastri, sfalsati, conclude la facciata alle due estremità, conferendo un'illusoria profondità al prospetto.

La costruzione della facciata – per sostenerne il peso furono infissi nel terreno 270 pali – comportò anche la risistemazione della riva, con la creazione della nuova scalinata acquea e il rinnovo della pavimentazione, caratterizzata dall'elegante gioco bicromatico dei motivi geometrici realizzati in pietra bianca di Rovigno sullo sfondo a trachite. Da qui si diparte la breve gradinata a cinque elementi che immette al portale della chiesa.

Il nuovo edificio occupa in profondità un'area superiore a quella del vecchio convento, in origine delimitato a nord dal rio detto dei Gesuati, che sfociava in quello di Sant'Agnese proveniendo da quello parallelo (e egualmente interrato nel corso dell'Ottocento) della Carità. Il Massari, nell'impossibilità di interrare il canale, ricorse alla costruzione di un'ampia arcata a scavalco, tuttora visibile, sia pure murata, sul lato orientale della chiesa. Sopra l'arco furono collocati il rilievo settecentesco con lo stemma della congregazione domenicana sormontato da un levriero – simbolo dell'Ordine – e quello tardo-quattrocentesco, di stile donatelliano, raffigurante *Cristo sostenuto dagli angeli*, trasferito qui probabilmente dalla vicina chiesa della Visitazione. Sullo stesso lato della chiesa si apre anche la porta secondaria di accesso all'edificio, che ripete, in scala minore, le linee del grandioso portale della facciata.

La posa della prima pietra della chiesa avvenne il 17 maggio del 1726, alla presenza del patriarca Marco Gradenigo; i lavori procedettero assai spediti, giungendo nel 1735 alla costruzione del tetto e dei due snelli campanili, impostati davanti alla grandiosa cupola.

Giorgio Massari,
Interno della chiesa dei Gesuati

L'interno

A partire dal 1736 si diede inizio alla decorazione dell'interno, anche questa, come si è detto, progettata con meticolosa cura dal Massari. La ricca decorazione – con le pale d'altare, gli affreschi a soffitto, le statue e i rilievi, i banchi e i confessionali, il coro, l'organo e quant'altro – risulta del tutto compiuta solo nel 1755 con la consegna, da parte di Gian Maria Morlaiter, delle ultime sculture; nel frattempo la chiesa era stata consacrata dal patriarca Alvise Foscari il 29 settembre del 1743.
L'edificio, da allora, ha mantenuto pressoché inalterato il suo aspetto, risultando così ai nostri occhi uno dei più tipici esempi di ambiente chiesastico interamente settecentesco, dove trionfa il gusto elegantemente raffinato del rococò. In questo senso, anche per la vicinanza con la Scuola grande dei Carmini a Santa Margherita, decorata con le stupende tele di Giambattista Tiepolo, oltre a quelle del Piazzetta, dello Zompini e del Menescardi, e con il Museo di Ca' Rezzonico a San Barnaba, la chiesa dei Gesuati viene a porsi come elemento fondamentale di un percorso interamente settecentesco che, svolgendosi all'interno del sestiere di Dorsoduro, fornisce al visitatore la possibilità di ammirare le differenti tipologie di un palazzo nobiliare, di una Scuola di devozione e di una chiesa dell'epoca e che può essere completato con la visita alla esaustiva sezione settecentesca delle Gallerie dell'Accademia, ricca di opere dei maggiori artisti del secolo.
L'interno della chiesa dei Gesuati è a unica navata rettangolare, smussata agli angoli. La planimetria della chiesa viene così ad assumere una forma quasi ellissoidale che ricorda da vicino la soluzione adottata da Antonio Gaspari per la chiesa della Fava a Venezia, la cui costruzione fu portata a compimento dallo stesso Massari.
Su ogni lato si aprono le tre grandi arcate che contengono gli altari laterali, intercomunicanti fra loro tramite brevi corridoi interni, ma che risultano all'esterno separati da interspazi che hanno ai lati semicolonne corinzie e recano al centro le statue entro nicchie e i rilievi opera di Gian Maria Morlaiter. Sulle smussature degli angoli verso il presbiterio sono collocati i due monumentali pulpiti marmorei tipici delle chiese di un ordine di predicatori quale è quello dei Domenicani, sormontati anch'essi da rilievi del Morlaiter.
L'unitarietà dell'insieme è sottolineata dal correre sulla parte alta delle pareti delle quattro cornici continue in diverso aggetto. La prima, piuttosto esile, è inserita nella fascia tra statue e rilievi e segue la rientranza delle cappelle laterali; la seconda, maggiormente rilevata, si snoda sopra i capitelli delle semicolonne addossate; la terza, retta da possenti barbacani, funge da divisorio tra le pareti e il soffitto; infine la quarta, anch'essa di lieve aggetto, congiunge fra di loro le basi delle vele del soffitto. Il gioco delle cornici risulta assai mosso oltre che per le differenti dimensioni e il diverso aggetto, anche a causa delle rientranze che si trovano in corrispondenza delle aperture delle cappelle nella parte inferiore e dei grandi finestroni di tipo termale in quella superiore, che rendono assai luminosa la navata.
La presenza di questa luminosità diffusa può non costituire di per sé una scelta autonoma del Massari, quanto piuttosto la messa in atto da parte dell'architetto del concetto caro alla dottrina domenicana della manifestazione ai fedeli della Verità che si

rivela tramite la luce. In ogni caso, la luminosità interna dell'edificio accentua e rende particolarmente elegante il gioco coloristico tra il bianco delle pareti e il grigio delle membrature architettoniche, dei capitelli corinzi, delle statue e dei rilievi scolpiti in pietra d'Orsera. I valori cromatici dell'insieme sono inoltre esaltati dall'uso di marmi colorati per gli altari e per la pavimentazione.
In faccia al grande portale d'ingresso si trova l'arco trionfale che immette al presbiterio, dove è collocato l'elegantissimo altar maggiore sormontato dall'alta cupola e intensamente illuminato dalla luce che proviene dalle grandi aperture. Lo spazio posteriore, a pianta ellissoidale, è occupato dal coro con la grandiosa struttura lignea a stalli ideata dal Massari e intagliata tra il 1740 e il 1744 dal CERONI, dal MEDICI e dal GASPARINI.

IL SOFFITTO DI GIAMBATTISTA TIEPOLO

Particolarmente preziosa la decorazione pittorica della chiesa, di cui notissima la serie degli affreschi a soffitto opera di GIAMBATTISTA TIEPOLO (Venezia 1696 - Madrid 1770). Questi furono eseguiti tra il maggio del 1737, quando il pittore firmò il contratto con i Domenicani, e l'ottobre del 1739, quando il Tiepolo risulta essere stato saldato di tutte le sue spettanze. Comprendono tre scene principali con le raffigurazioni della *Gloria di san Domenico* (nel comparto verso la porta), dell'*Istituzione del Rosario* (nel grande comparto centrale) e dell'*Apparizione della Vergine a san Domenico* (nel comparto verso l'altar maggiore). Sedici scene a monocromo verde-ocra, quindici con le raffigurazioni dei *Misteri del Rosario* e una con una festosa immagine di putti angelici che reggono le insegne del Rosario, contornano i comparti centrali, mentre, sulla parete soprastante la porta, si trova il monocromo con la *Visione di san Pio V*. Qui è raffigurato il papa

1-3

Bortolo Ceroni e altri, Coro

che, inginocchiato, riceve da un angelo l'annuncio della vittoria ottenuta dalla flotta cristiana contro quella turca a Lepanto nel 1571. Negli spicchi ai lati delle finestre, infine, si trovano altri dodici monocromi con le figurazioni (Niero, 1979) dei privilegi papali e cardinalizi per le confraternite del Rosario. Egualmente a Giambattista spettano gli affreschi della cupola soprastante l'altar maggiore con i *Simboli degli Evangelisti* e il soffitto del coro, che ha al centro l'immagine di *David che suona l'arpa* e nei clipei dei quattro angoli le figure a monocromo dei Profeti maggiori (*Ezechiele*, *Isaia*, *Daniele* e *Geremia*). Sulla parete di fondo dello stesso ambiente campeggia inoltre la figurazione parimenti monocroma della *Trinità* affiancata dai *Simboli eucaristici*.

La critica è pressoché concorde nel ritenere parte delle scene dipinte a monocromo opera di un aiuto di Giambattista, variamente indicato in Francesco Zugno o in Francesco Raggi. Va da sé, data la vastità dell'impresa portata a termine nel breve volgere di tre anni, con circa cento giornate complessive di lavoro sulle impalcature, che il Tiepolo non può non essersi avvalso anche in questo caso della collaborazione della bottega. Tuttavia, tanto attento deve essere stato il controllo esercitato da Giambattista sull'operato dei suoi collaboratori, che risulta veramente difficile – se non impossibile – individuare con assoluta certezza la mano dell'uno o dell'altro artista negli affreschi.

Nei comparti principali i Domenicani hanno preteso dal Tiepolo la narrazione dei tre più significativi episodi della vita di san Domenico. La lettura inizia dal comparto verso l'altare maggiore, dove è raffigurata l'*Apparizione della Vergine a san Domenico*. Dalla narrazione lasciataci da santa Cecilia dei miracoli del santo sappiamo che Domenico si era rattristato per non aver potuto vedere l'Ordine da lui fondato accanto al Signore e che questi, per consolarlo, lo aveva invitato a rivolgersi alla Vergine che gli stava accanto. La Vergine, spalancando il proprio mantello, rivela alla vista del santo la moltitudine dei frati futuri che costituiranno la gloria dell'Ordine. Molti dei personaggi che nell'affresco del Tiepolo circondano la Vergine sono stati identificati (Niero): la terziaria francescana inginocchiata a sinistra della Madonna è la veneziana serva di Dio Caterina Puppi della Volontà di Dio, morta nel 1712; al suo fianco, verso destra, se ne intravvede una consorella, forse quella Fialetta Fialetti che, morta nel 1717, è sepolta presso l'altar maggiore della chiesa, veneziana ella pure e serva di Dio. Il domenicano col libro in mano, a destra della Vergine, è forse il veneziano beato Jacopo Salomonio, cui si intitolava la congregazione locale dei Gesuati; il papa con tiara e croce è probabilmente Benedetto XIII, domenicano, che aveva intrapreso la propria vita religiosa a San Domenico di Castello a Venezia, sotto il cui pontificato era stata posta la prima pietra della nuova chiesa dei Gesuati ed era stata estesa alla Chiesa universale la festa del Rosario. Il frate domenicano con barba bianchissima che gli sta accanto potrebbe essere papa san Pio V, canonizzato pochi anni prima del 1712; il vescovo che lo affianca, invece, potrebbe identificarsi con Giovanni Francesco Morosini, patriarca di Venezia nel 1670, quando i Domenicani si insediarono nel convento dei Gesuati a Venezia. Dietro a questi si trovano tre altri domenicani, di cui quello con il cappuccio rialzato parrebbe il teologo, residente nel convento veneziano, Daniele Concina (lo conferma il confronto con il suo ritratto inciso da Antonio Zucchi), mentre gli altri due sono forse il priore del convento ai tempi dell'esecuzione dell'affresco, padre de Rubeis, dotto storico, e Jacques Hyacint Serry, celebre teologo dell'Ordine, di simpatie giansenitiste. Il personaggio che sta inginocchiato davanti alla Vergine, dalla lunga barba e vestito di un piviale rosso-oro, è

Giambattista Tiepolo,
Visione di san Pio v

Giambattista Tiepolo,
Apparizione della Vergine
a san Domenico

Giambattista Tiepolo,
David che suona l'arpa

identificabile infine in Antonio Contarini, l'antico patriarca di Venezia che nel 1521 aveva concesso il permesso di stampare il *Rosario* di Alberto de Castello.

La scena non si svolge, come nel racconto di santa Cecilia, nel dormitorio romano di San Sisto, ma all'aperto: la Vergine appare al santo da una nube che si apre al centro in un grande squarcio di cielo azzurro, sopra un alto podio marmoreo, che costituisce l'elemento più evidente di un tempio a pianta centrale il cui frontone si intravvede a sinistra. Ai piedi del podio è san Domenico, con la corona del Rosario alla cintola, che ha, prostrato davanti a sé, un frate, identificabile forse in quel Carlo Maria Lazzaroni che fu il principale collettore dei finanziamenti necessari alla costruzione della chiesa dei Gesuati. A destra un grande angelo ad ali spiegate presenta alla Vergine l'elaborato candelabro settecentesco, descritto con grande dovizia di particolari, che reca sulla base un medaglione istoriato con la testa di un domenicano (forse san Tommaso d'Aquino). Sui gradini che scendono verso il basso sono i simboli di san Domenico, il giglio, il levriero (*Domini canis*) e il libro retto da un bimbo zazzeruto.

Il Tiepolo ha studiato la scena in uno stenografico bozzetto ora conservato al Museum of Fine Arts di Boston. Pare interessante segnalare che nel bozzetto le fisionomie delle figure appaiono del tutto generiche e che solo nell'affresco i loro volti abbiano ricevuto una precisa caratterizzazione. Manca inoltre, nel bozzetto, la figura del frate prostrato sotto le mani giunte di san Domenico, che, evidentemente, è stata aggiunta dal Tiepolo solo all'atto dell'esecuzione dell'affresco. Anche la struttura architettonica sopra la quale appare la Vergine ha subito modifiche nella versione maggiore.

Nel comparto centrale del soffitto il Tiepolo ha messo in scena con eccezionale rapidità esecutiva, in sole ventun giornate di lavoro, la figurazione dell'*Istituzione del Rosario*, fondendo in essa due diversi episodi della vita di san Domenico: la consegna del Rosario da parte della Vergine e la predicazione nella parrocchiale di San Romano a Tolosa. Secondo la tradizione, la Madonna consegnò il Rosario a Domenico nel 1210, apparendogli in una foresta – o, secondo un'altra versione, nella cappella di Notre Dame de Prouille o di Drèche – accompagnata da numerose vergini. La consegna del Rosario, motivata dalla volontà di salvare le anime degli eretici albigesi, dannati in gran numero per l'ostinazione con cui perseveravano nell'errore, spinge immediatamente san Domenico a dedicarsi alla predicazione, rivolgendosi a ogni ceto sociale, dai nobili ai mercanti, ai guerrieri, al popolo minuto.

Il Tiepolo modifica sostanzialmente l'ambientazione della scena, collocandola all'interno della chiesa stessa; inoltre la Madonna non è accompagnata da uno stuolo di vergini, ma da numerosi angeli. Il santo, la cui figura costituisce il centro reale e ideale della scena, sta in piedi su un pulpito, da cui si dipartono cinque gradini che, assommati ai dieci che compongono la scalinata degradante verso il basso, vengono a formare il simbolico numero di quindici, corrispondente a quello dei misteri del Rosario.

La folla che si accalca a ricevere i rosari dalle mani di Domenico è suddivisa in vari gruppi. A sinistra in primo piano emerge la figura di un doge, identificabile in quell'Alvise Pisani che resse la massima carica della Repubblica negli stessi anni in cui il Tiepolo lavorava agli affreschi dei Gesuati. Accanto a lui, tra le numerose figure, spiccano quelle di una religiosa domenicana, forse ancora la Fialetti che già abbiamo visto presente nel primo affresco, e quella di una imponente popolana che regge tra le braccia un bimbo paffuto, sulla cui coperta a strisce è posato il Rosario.

Alle spalle del santo, che ha accanto

2

Giambattista Tiepolo,
Annunciazione

Giambattista Tiepolo,
Trionfo del Rosario

un grande angelo, mentre, sopra di lui, un cherubino, scendendo dal cielo, gli reca i rosari da distribuire, è una folla indistinta e agitata di orientali e di guerrieri. Nel gruppo in basso a destra emerge con evidenza la figura del patriarca Correr, vestito di un bellissimo piviale dorato, decorato con immagini di santi. Attorno all'imponente figura, che costituisce il perno di questa parte della composizione, si trovano numerosi altri personaggi, tra cui un pellegrino col suo bastone (simbolo questo anche di san Domenico), un poeta laureato in veste cinquecentesca (potrebbe forse trattarsi di Torquato Tasso, che fu particolarmente devoto alla Madonna), un levantino col grande turbante a righe, una vecchia dal volto ossuto che prega, avendo accanto una bimba, e sul bordo estremo dell'affresco un chierico vestito di nero, forse riconoscibile nel segretario del patriarca.

La presenza, nei due gruppi principali, delle figure del doge (il potere civile) e del patriarca (il potere religioso) sottolinea la particolare attenzione della città di Venezia per la devozione mariana.

Nel cornicione inferiore, a sinistra, è il levriero, simbolo dei Domenicani; accanto, accostati, un nudo di spalle e un soldato in veste cinquecentesca, con l'alabarda, e, seminascosto, un orientale dal grande turbante. A destra, quasi in contrapposto col cane, un popolano steso a terra guarda in basso, dove precipitano alcune figure aggrovigliate. Tra queste, quella del centro, quasi nuda, ha dei serpenti in mano e tra i capelli; alla sua destra ve n'è un'altra, accecata, che forse allude alla lussuria; a sinistra la terza, dall'espressione estremamente drammatica, potrebbe essere quella dell'usura, dato che tiene nelle mani un sacchetto di denari e trascina con sé nella caduta gli oggetti necessari per scrivere e il libro dei conti.

Di norma, il gruppo viene interpretato come l'allegoria dell'eresia albigese, vinta dalla devozione del Rosario predicata da san Domenico, secondo una tradizione ancora viva nel Settecento. Tuttavia è probabile che qui il Tiepolo – e per lui gli iconografi domenicani – abbia voluto alludere al trionfo della Vergine su tutte le eresie, con particolare riferimento a quella più recente, la Riforma protestante, che, in un articolo della Confessione augustana, aveva impugnato il Rosario. Nel qual caso, le tre figure che precipitano, cacciate giù dalla gradinata dall'alabardiere in veste cinquecentesca, sono meglio interpretabili nell'avarizia, nella lussuria e nella superbia, vizi ai quali la Vergine avrebbe opposto, in una visione, san Domenico.

Per questa complessa scena il Tiepolo ha eseguito ben tre bozzetti preparatori. Il primo di essi era conservato agli Staatliche Museen di Berlino ed è andato distrutto durante il secondo conflitto mondiale. Si trattava di una «prima idea» in cui il pittore aveva previsto una struttura compositiva sensibilmente diversa da quella poi realizzata. Infatti maggior rilievo aveva la figura della Vergine e la struttura architettonica di fondo si trovava alla destra del santo, mentre la gradinata digradante constava di soli cinque gradini. Tale raffigurazione pare non aver trovato il gradimento dei committenti, che richiesero a Giambattista un secondo modello, individuabile in quello ora conservato in una collezione privata a Milano: qui il pittore riduce l'eccezionale rilievo dato nel primo bozzetto alla figura della Vergine, ponendo adesso al centro della scena la figura incappucciata di san Domenico (nel primo bozzetto ancora a capo scoperto) e spostando a sinistra la struttura architettonica, contro cui ora si staglia la grande figura di un angelo ad ali spiegate. Più elaborata la composizione della scalinata, che assume già la forma che avrà nella redazione finale, sia pure con un numero minore di gradini nella rampa finale, dove appare per la prima volta la figura dell'alabardiere. Infine esiste un terzo bozzetto, apparso recentemente sul mercato antiquario

Giambattista Tiepolo,
Gloria di san Domenico

austriaco e ora conservato in una collezione privata tedesca, che mostra la scena come poi verrà effettivamente realizzata nell'affresco, sia pure con qualche piccola variante. Il travaglio preparatorio dell'affresco è ben significativo per intendere l'attenta cura posta dai committenti del Tiepolo nella definizione di ogni minimo particolare destinato ad apparire nella scena.

Il terzo comparto, verso la porta, rappresenta la *Gloria di san Domenico*: anche in questo caso il pittore ha modificato sostanzialmente i particolari della narrazione forniti dalla visione del beato Guala, il quale aveva visto il santo salire al cielo mentre era seduto sui pioli di una scala tirata su dal Signore e dalla Vergine e con gli angeli ai lati. Nell'affresco, infatti, il santo è condotto alla beatitudine eterna da un volo d'angeli e lascia a terra, a sinistra, il giglio, la candela e il libro, suoi simboli. Alla massa scura del globo terrestre a sinistra funge da contrapposto la figura di un angelo rossovestito chinato in avanti e con le grandi ali spiegate, collocato sulla destra.

Anche di questo affresco è noto il bozzetto preparatorio, ora al Museum of Art di Filadelfia. Qui, forse ancor più che nella redazione maggiore, è possibile ammirare la eccezionale sapienza prospettica di Giambattista nello scorciare le figure proiettate verso il cielo. La figurazione proposta da Giambattista ai Domenicani nel bozzetto deve essere risultata gradita ai committenti, tant'è che nell'affresco appaiono pochissime modifiche alla struttura compositiva prevista, riguardanti in particolare l'aggiunta di qualche putto volante.

In linea generale, il tema degli affreschi tiepoleschi del soffitto della navata della chiesa rimanda all'elevazione della ricorrenza del Rosario a festività ufficiale della Chiesa universale, avvenuta nel 1714 per volontà di papa Clemente XI. A ciò si aggiunge uno slancio devozionale assai sentito nei confronti del culto mariano e

Giambattista Tiepolo, Istituzione del Rosario, *intero e particolari*

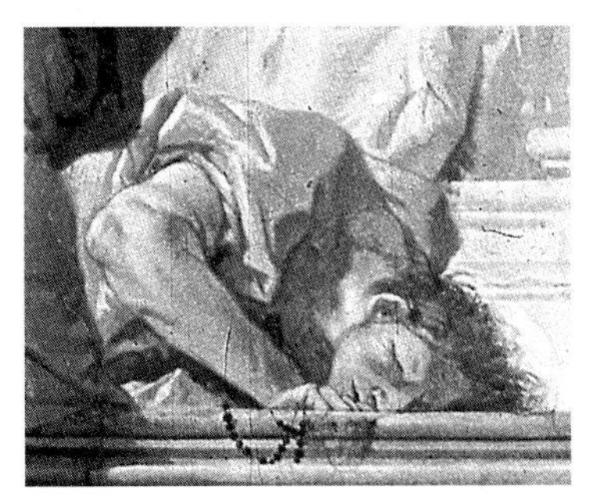

Giambattista Tiepolo,
Istituzione del Rosario,
particolare

la volontà di esaltare il ruolo dell'ordine dei Domenicani nella sua diffusione, il tutto nell'ottica dell'identità, consolidata definitivamente con la costruzione della chiesa votiva della Salute, tra la Vergine Maria e Venezia.
Una tematica, questa, in fondo abbastanza generica e non del tutto originale, che cela però un secondo livello di lettura, più interno all'ordine domenicano e più difficile da cogliere. Il Niero (1979) vi vede infatti una sottile polemica antiquietista voluta dai Domenicani che di quel movimento spirituale furono fra gli oppositori più tenaci e che si esplicita nel ricorso alla devozione mariana, rifiutata dai Quietisti. Il Barcham (1989) invece vi legge l'opposizione dell'Ordine al Giansenismo, motivando questa sua interpretazione con l'aspra polemica sorta proprio pochi anni prima dell'intervento del Tiepolo ai Gesuati tra la congregazione riformata dei Domenicani e Jacques Hyacint Serry, domenicano anch'egli, docente di teologia presso lo Studio di Padova e in odore di simpatie gianseniste. Il governo veneziano aveva tollerato la predicazione delle teorie provenienti da Port-Royal nel monastero di Santa Giustina a Padova, dov'era stato ospitato il Serry, malgrado la confutazione delle proposizioni gianseniste a opera della bolla *Unigenitus* promulgata da Clemente XI nel 1713. A sua volta, il Serry aveva dato alle stampe opere in cui si denunciavano gli eccessi idolatri nel culto mariano. Questo dibattito, sotto il quale si intravvede lo scontro tra dottrina della grazia e libertà di coscienza in fatto di fede, venne risolto nel 1724 all'atto dell'elezione al soglio papale del domenicano Vincenzo Maria Orsini, che assunse il nome di Benedetto XIV. Il nuovo papa, facendo propria la bolla promulgata dal suo predecessore, trovò il compatto appoggio del suo Ordine. In questo senso quindi, secondo il Barcham, gli affreschi tiepoleschi costituirebbero l'esplicita difesa dei Domenicani della posizione del papato contro quelle, ritenute devianti, di alcuni dei propri affiliati. Secondo lo stesso studioso, il comparto centrale del soffitto, con l'*Istituzione del Rosario*, potrebbe essere stato ispirato da un ponderoso trattato scritto tra il 1730 e il 1740 da Alfonso de' Liguori, col titolo di *Le glorie di Maria*, dato alle stampe solo nel 1750 a Napoli.
Per quanto costretto entro rigidi vincoli di natura iconografica, Giambattista elabora con grande abilità le scene, rifacendosi, per la loro impaginazione, ai grandi modelli della pittura cinquecentesca. In particolare, non possono sfuggire le strettissime analogie esistenti tra il comparto centrale del soffitto della navata e l'*Assunzione della Vergine* di Paolo Veronese che ora è collocata nella cappella del Rosario ai Santi Giovanni e Paolo, ma che nel quarto decennio del Settecento era ancora nella sua sede originaria, la chiesa dell'Umiltà alle Zattere, a poche centinaia di metri da quella dei Gesuati. Da quest'opera deriva infatti a Giambattista l'idea per l'ardito scorcio determinato dall'ampia balustra da cui si diparte la lunga rampa di scalini, che contribuisce a conferire alla scena una notevole, per quanto illusoria, profondità.
Non solo l'impostazione delle scene è desunta da Paolo: un po' tutto, negli affreschi tiepoleschi, testimonia dell'attenzione, quasi della venerazione di Giambattista nei confronti del maestro cinquecentesco. Il colore raffinato, su toni chiari, è tipico della tradizione veronesiana, così come da Paolo deriva il gusto di inserire, all'interno della sacra figurazione, ritratti di personaggi contemporanei; ma anche la semplicità e la pacatezza della narrazione, facilitata dalla linearità della partitura decorativa che inquadra gli affreschi, messa in opera da ANGELO PELLE, configurano dei debiti di Giambattista nei confronti del pittore cinquecentesco.
Gli affreschi dei Gesuati, assieme alle coeve tele dipinte per la chiesa di Sant'Alvise, decretarono il trionfo in

Giambattista Tiepolo,
La Vergine appare alle sante
Rosa da Lima, Caterina da Siena
e Agnese da Montepulciano

patria del Tiepolo. Da questo momento – Giambattista ha ormai superato i quarant'anni d'età – sarà lui il dominatore incontrastato della scena artistica veneziana e per oltre vent'anni tutte le commissioni più importanti gli verranno affidate.

LE CAPPELLE DI DESTRA

7 Più tarda rispetto agli affreschi è la pala di Giambattista che si trova sul primo altare a destra della chiesa, dedicato alle tre sante domenicane Rosa da Lima, Caterina da Siena e Agnese da Montepulciano, cui, nel dipinto, appare la Vergine.
La scena congiunge assieme le tre sante secondo uno schema consueto nelle chiese domenicane. Il tema di fondo è la contemplazione di Gesù Bambino, oggetto di intenso amore da parte di ciascuna delle sante. La figura principale è quella di santa Rosa da Lima, canonizzata nel 1671, con grande entusiasmo per tutta la cristianità, dato che si trattava della prima santa del Nuovo Continente, l'America. Il Tiepolo, forse condizionato nell'iconografia dalle stampe del romano Ciro Ferri tratte dal gonfalone esposto in San Pietro in occasione della canonizzazione, unifica due distinti episodi della vita di santa Rosa, la visione della Vergine che le consegna il Bambino, che emblematicamente tiene in mano una rosa, avvenuta nella cappella del Rosario della cattedrale di Lima, dove si era rifugiata la domenica delle Palme, e l'episodio della gara mistica con l'usignolo, visibile nel dipinto sopra la catena infrarcale, una gara questa che si ripeteva spesso nell'eremo della santa, dove ella aveva anche la visione della Croce.
Il Tiepolo ha rappresentato il momento in cui sant'Agnese, dopo aver tenuto Gesù fra le braccia e avergli tolto la piccola croce che teneva al collo, lo ha affidato a santa Rosa. Quest'ultima, poi, lo consegnerà a santa Caterina. In questo momento, ciascuna delle tre sante passa dalla contemplazione all'estasi.
Santa Caterina, a sinistra, avvolta nel bianchissimo saio domenicano, è identificabile dagli specifici caratteri iconografici descritti con minuziosa attenzione dal Tiepolo: regge con la mano destra il Crocifisso che le parlò durante una violenta tentazione; ha ai piedi il breviario che recitò assieme a Gesù nei corridoi senesi delle celle e reca sul capo la corona di spine che preferì a quella d'oro offertale dal Signore. A terra si trova il teschio, che ricorda la sua consuetudine a meditare sulla caducità delle cose umane.
Giova avvertire (Niero, 1979) un altro particolare, che emerge anche nella pala dei *Tre santi* del Piazzetta. Poiché in questo dipinto il Tiepolo ha dato un saggio di estasi contemplativa, o orazione di quiete, benché sulla base della pietà affettiva, non bisogna dimenticare, come già si è detto, che la storia della pietà del primo Settecento a Venezia subisce l'ondata della polemica antiquietista. In effetti il Tiepolo non raffigura un'estasi con il sonno delle potenze, con lo svenimento, come ad esempio un secolo prima il Bernini nella *Transverberazione di santa Teresa* o della *Beata Albertoni* o, pochi anni prima, lo stesso Piazzetta nell'*Estasi di san Francesco d'Assisi*, né le tre sante sono sedute in preda al sonno, secondo la pratica dell'orazione quietista. Esse sono invece consapevoli, attive pur nell'ebbrezza dell'unione divina e ciò appare come una risposta polemica al Quietismo che intendeva l'estasi come annullamento totale della volontà.
Inoltre occorre segnalare che la pala venne dipinta proprio negli anni in cui maggiormente viva era la polemica guidata dal padre Concina, residente nel convento dei Gesuati, contro il gesuita veneziano Benzi riguardante un problema tipico del tempo e ancora quietistico, vale a dire la tenerezza del padre spirituale a mezzo di blandizie fisiche verso le penitenti: fatto questo respinto con forza dal rigorismo del Concina. In pratica, nulla del genere è qui ravvisabile.

Giambattista Piazzetta,
I santi Lodovico Bertrando,
Vincenzo Ferreri e Giacinto

Gian Maria Morlaiter
e Giambattista Piazzetta,
Altare di san Domenico

Addirittura l'eliminazione di qualsiasi accenno ai seni delle tre sante può indicare la voluta opposizione, in polemica col Benzi e con i Quietisti, proprio su codesto settore della vita spirituale e in particolare con monache.

L'opera venne commissionata al Tiepolo entro il 1740, probabilmente subito dopo la conclusione della grande impresa decorativa del soffitto; ma la sua esecuzione fu evidentemente procrastinata a lungo, tant'è che dai documenti la pala risulta essere stata messa in opera solo nell'aprile del 1748.

Si tratta di uno dei dipinti di carattere religioso più famosi del Tiepolo, notevole per la qualità cristallina del colore, risarcita dal recentissimo restauro, per la resa attenta dei particolari – fondamentale del resto per la migliore lettura della complessa iconografia –, per la monumentalità elegante dell'insieme, per la perfetta bellezza, quasi classica, dei volti dolcissimi. Tuttavia, un'opera certamente singolare all'interno del percorso stilistico tiepolesco, in cui la critica ha giustamente colto un sia pure prudente riavvicinamento al Piazzetta. Ma in questo caso certamente il Tiepolo si è piegato a una precisa richiesta dei Domenicani, preoccupati della continuità stilistica con le pitture piazzettesche che compaiono nei due altari successivi.

Infatti sull'altare dedicato a san Domenico è collocato, all'interno di una festosa *Gloria d'angeli* marmorea che costituisce la prima opera eseguita per la chiesa da GIAN MARIA MORLAITER (1739), un ritratto ideale del santo fondatore dell'Ordine eseguito da GIAMBATTISTA PIAZZETTA (Venezia 1682-1754) nel 1743. Si tratta quindi di un'opera ormai tarda di Giambattista, connotata da un cromatismo su toni cupi, ben diverso da quello luminoso che ritroviamo nella pala con i *Santi Lodovico Bertrando, Vincenzo Ferreri e Giacinto* messa in opera entro il mese di maggio del 1738 sull'altare successivo. È quest'ultimo uno dei dipinti emblematici della fase centrale dell'attività del Piazzetta, quella che gli storici a lui contemporanei definirono «del lume solivo» per sottolinearne la luminosità del colore intriso di luce. A questa fase partecipa in particolare l'*Indovina* delle Gallerie dell'Accademia di Venezia, che costituisce il massimo capolavoro del Piazzetta in questo momento.

Il Piazzetta eseguì la pala sotto il diretto controllo dei Domenicani e ciò spiega la grande precisione descrittiva che connota la scena; ma del tutto sincera appare anche l'adesione spirituale del pittore a questo esplicito manifesto figurativo della fede domenicana.

In primo piano vi è la figura del santo spagnolo Lodovico Bertrando, canonizzato nel 1671. Egli è raffigurato nel momento in cui, in preda a scoramento, ode la voce divina che gli preannuncia: «vivi ancora nelle tenebre; tempo verrà in cui ti sarà dato grande splendore». È l'attimo in cui il santo abbandona le tenebre, la penombra in cui è collocato, per raggiungere lo splendore della gloria eterna. Il Santo è raffigurato con stupefacente realismo: il volto ossuto, scavato, consunto dalle fatiche dopo aver camminato per sette anni tra le rocce andine; i piedi scarni e scheletrici, prova di tanta fatica; le grandi mani con cui regge il bellissimo calice settecentesco da cui fuoriesce un piccolo cobra, allusivo al prodigio dell'avvelenamento cui il santo fu sottoposto dagli Indios dei Caraibi e da cui si salvò miracolosamente solo dopo cinque giorni di indicibili sofferenze, emettendo il serpente. Accanto a lui giace il libro aperto, allusivo al suo breviario, che ora è conservato come una reliquia nella cattedrale di Valencia.

Al centro è san Vincenzo Ferreri, vestito del bianco saio domenicano, che tiene sotto il braccio sinistro il libro sacro. Sul capo ha la fiammella, suo simbolo iconografico. A destra è san Giacinto, vestito di un saio grigiastro, che regge il calice dell'Eucarestia e una statua della Vergine,

allusivi al salvataggio di tali oggetti sacri operato dal santo a fronte della furia distruttiva dei Tartari.
Il grande angelo ad ali spiegate nella parte alta della pala reca la tromba, che rimanda a san Vincenzo Ferreri, «tromba del giudizio di Dio» per l'impeto della sua predicazione, e le palme, che alludono alle sofferenze patite da san Giacinto. Anche nella pala del Piazzetta è possibile cogliere una eco del rigorismo morale proprio della casa domenicana ai Gesuati, espresso in particolare da Daniele Concina e dallo storico De Rubeis. E, contemporaneamente, una sottile polemica con le teorie propagandate dai Quietisti, evidente nel fatto che i tre santi domenicani, pur beandosi nell'unione con Dio, sono presentati nella fase unitiva nello *statu viae* piuttosto che nello *statu termini*.

IL PRESBITERIO E L'ALTAR MAGGIORE

Dopo l'altare dedicato ai tre santi Domenicani si apre il presbiterio, sopraelevato di tre gradini rispetto alla navata e diviso da essa da una balaustra in marmo di Carrara. Sui lati brevi, sopra le porte che immettono nelle sacrestie, si trovano le cantorie. Sopra quella di sinistra è ospitato l'organo della chiesa: in origine quello consegnato da Pietro Nachich nel 1740, che è stato però sostituito nel 1856 dall'attuale, opera dei fratelli Bazzani.
All'interno della sacrestia di sinistra è conservato un dipinto di notevolissimo interesse: si tratta di una piccola e preziosa immagine su fondo oro

16 della *Madonna col Bambino* unanimemente riferita a STEFANO DI SANT'AGNESE (Venezia, notizie 1369-1385) e databile alla seconda metà dell'ottavo decennio del Trecento. La tavola, che forse in origine faceva parte dell'arredo della vicina chiesa dedicata a Sant'Agnese (di cui il pittore era parrocchiano), si caratterizza per la raffinata qualità decorativa caratteristica del mondo del gotico internazionale, cui a pieno titolo appartiene, e per il colore smaltato, tipico della tradizione veneziana, che ritroviamo nelle tavole dello stesso artista conservate alle Gallerie dell'Accademia.
L'altar maggiore si erge maestoso su cinque gradini. Risulta composto di due elementi distinti: l'ampio colonnato a cornice con struttura a esedra e il doppio tabernacolo con l'espositorio nella parte superiore e la custodia eucaristica in quella inferiore. Se nel suo complesso la struttura ricorda da vicino le soluzioni adottate dal Palladio per San Giorgio Maggiore e per il Redentore, nell'altare progettato dal Massari dominano l'effetto coloristico derivato dall'uso di marmi policromi e l'eleganza tipicamente rococò della linea mossa e della raffinata decorazione scultoria, con la grande conchiglia, le testine di putti e i rilievi a rose, a spighe, a grappoli d'uva in evidente relazione alla devozione del Rosario e al Mistero Eucaristico.
Lo spazio posteriore all'altare è occupato dal coro, progettato anch'esso dal Massari, come il grande leggio scolpito nel 1743 dal Ceroni. In quest'ambiente è stata collocata – forse impropriamente, dato che modifica la struttura originaria – una pala del ravennate MATTEO INGOLI (Ravenna 1585 circa - Venezia 1631), firmata e datata 1630, proveniente dalla chiesa dei Santi Marco e Andrea di Murano, in deposito dalle Gallerie dell'Accademia di Venezia dal 1910. Essa raffigura nella parte superiore la *Vergine col Bambino e sant'Anna* e in quella inferiore *San Domenico col giglio e col Rosario accompagnato dalle sante Margherita, Chiara, Barbara e Agata*.

GLI ALTARI DI SINISTRA

Ritornati nella navata della chiesa, si incontra l'altare del Crocifisso, dove è allogata la pala di JACOPO TINTORETTO (Venezia, 1518-1594) che in origine si trovava nella chiesetta del-

Jacopo Tintoretto,
Crocifissione

Stefano da Sant'Agnese,
Madonna col Bambino

la Visitazione. Essa fu posta in opera ai Gesuati nel 1743, dopo essere stata restaurata («governata» dicono i documenti del tempo) dal Piazzetta. L'opera, citata nella sua collocazione originaria fin dal Sansovino (1581), è stata variamente datata dalla critica; pare ora convincente la collocazione sul 1565 circa ribadita recentemente da Pallucchini e Rossi (1982), sulla base del calzante confronto con le tele eseguite dal Tintoretto in quell'anno per la chiesa di San Cassiano e con la coeva *Crocifissione* di San Rocco. Di particolare risalto, nel dipinto, l'effetto luministico, con le figure ai piedi della croce drammaticamente investite dalla luce fredda che proviene dall'alto.

La pala del Tintoretto è uno dei pochi elementi non coerenti alla struttura settecentesca della chiesa, per il resto unitaria; l'altro elemento è la statua della *Madonna del Rosario* che si trova sull'altare successivo, eseguita dall'accademico ANTONIO BOSA (Pove del Grappa 1780 - Venezia 1845) nel 1836, qui collocata in sostituzione della preesistente immagine della Madonna del Rosario, del tipo delle Madonne vestite, seduta su un trono in legno dipinto, opera dell'Arrigoni detto il Sega, giudicata inadeguata dal clero della parrocchia.

21

L'altare successivo, invece, ospita ancora una pala settecentesca: è quella raffigurante *San Pio V, san Tommaso d'Aquino e san Pietro martire*, tutti dell'ordine dei Domenicani, opera estrema di SEBASTIANO RICCI (Belluno 1659 - Venezia 1734). La tela infatti venne commissionata al pittore nel 1730 e risulta così essere la più antica tra le opere settecentesche conservate nella chiesa; fu certo consegnata ai Domenicani entro l'ottobre del 1733, in considerazione del fatto che, a tale data, è registrata nei documenti la spesa sostenuta per la tenda necessaria a coprirla. Tuttavia la pala fu posta in opera assai più tardi, dato che l'altare che la ospita fu realizzato solo tra il 1744 e il 1745. Dipinto scenografico, privo di quel *pathos* religioso che caratterizza viceversa le altre opere presenti nella chiesa, la pala riccesca si segnala soprattutto per la squisita eleganza formale e per il ricco cromatismo. Mentre nella parte alta con gli angeli in volo il Ricci dà libero sfogo alla propria fantasia creativa, la parte bassa della pala pare essere (Daniels, 1976) una lontana riminiscenza del monumento funebre di Urbano VII a San Pietro, opera di Gian Lorenzo Bernini.

24

La figura di san Pio V papa, seduto al centro, si staglia contro la struttura architettonica ad arcate dello sfondo. Il suo atteggiamento è colloquiale, estremamente cordiale e nulla lascia trapelare la fierezza del carattere di questo rigido pontefice. A sinistra è san Tommaso d'Aquino, riconoscibile dal sole sul petto e dal libro della *Summa* che tiene con la mano destra. San Tommaso si rivolge verso il pontefice ed egualmente si comporta san Pietro martire, inginocchiato a destra, che porta la mano al petto in segno di ossequio. Contrariamente a quanto appare nell'iconografia abituale, il santo non ha il coltello del martirio infisso sul capo, ma a terra davanti a sé. Gli angeli in volo a sinistra sostengono le chiavi del papato, quello a destra la palma del martirio, allusivo a san Pietro. A fianco del papa un puttino alato regge la tiara, allusiva piuttosto a san Tommaso che al papa. Di norma la compresenza nella pala delle figure di san Pio V e di san Tommaso è giustificata col fatto che il papa aveva curato un'edizione delle opere del santo; ma è anche possibile che la presenza di san Tommaso sia motivata con la volontà dei Domenicani di ricordare la confraternita della Milizia Angelica già esistente nella chiesa della Visitazione.

In ogni caso, il significato complessivo del dipinto è individuabile nel tema del trionfo del papato, quel papato che andava difeso con la Fede, attraverso gli scritti di san Tommaso, e con le opere, nel martirio di san Pietro.

Sebastiano Ricci, San Pio v, san Tommaso d'Aquino e san Pietro martire

Gian Maria Morlaiter, Mosè

I RILIEVI E LE STATUE DI GIAN MARIA MORLAITER

I sei altari laterali della navata sono intervallati da statue accoppiate a rilievi opera di GIAN MARIA MORLAITER (Venezia 1699-1781); altri due suoi rilievi si trovano sopra i pulpiti laterali al presbiterio. Le statue raffigurano santi e profeti: dalla destra della porta, in senso antiorario si trovano: *Abramo* (1754); *Aronne* (1750); *San Paolo Apostolo* (1743); *San Pietro* (1744); *Mosè* (1748-50); *Melchisedech* (1755). Di alcune di queste sculture è conservato nel Museo del Settecento Veneziano di Ca' Rezzonico il bozzetto preparatorio in terracotta.

I rilievi, che narrano vicende della vita di Cristo, sono complessivamente otto. Da destra: *Gesù e il centurione* (1754); *Gesù guarisce il cieco* (1750); *Gesù appare alla Maddalena* (1743); *Apparizione di Gesù a Tommaso* (1747); *Battesimo di Cristo* (1746); *La Samaritana al pozzo* (1744); *La piscina probatica* (1748-50); *San Pietro salvato dalle acque* (1755).

Queste sculture svolgono complessivamente il tema post tridentino della sacra rappresentazione figurativa. I santi escono dalle nicchie come da palchetti teatrali in conversazione tra di loro o rivolti verso i fedeli, indicando ora l'altare maggiore, dove si compie il sacrificio eucaristico, ora il soffitto, dove si attua il trionfo del Rosario.

Invitano all'altare maggiore le due statue verso l'ingresso, raffiguranti *Abramo* e *Melchisedech*, con ovvia reminescenza del sacrificio nel gesto di Abramo, che tiene in mano il coltello e con l'altra fa cenno di procedere in avanti, e in Melchisedech, sacerdote di vittime pacifiche. Entrambi sono ricordati in funzione eucaristica nel canone post tridentino. Richiamano egualmente all'altare *Aronne* e *Mosè*, nel significato della legge e del sacrificio sacerdotale.

Invece nell'ultimo gruppo *San Pietro* e *San Paolo* indicano il trionfo del Rosario del soffitto.

Ma queste figure di patriarchi e profeti dell'Antico Testamento e santi del Nuovo adempiono pure una finalità glorificante del Rosario. Alcuni, come *Mosè*, *Aronne*, *San Pietro* e *San Paolo*, appaiono in una xilografia tedesca del Rosario risalente al 1515. Il tema tradizionale viene comunque qui ripreso e trattato con una certa libertà di disposizione.

Vero è che nella vita di san Domenico era narrata anche la visione di Giovanni delle Asturie, il quale aveva contemplato i santi Pietro e Paolo, poi Abramo e Mosè, tutti favorevoli all'opera di Domenico; nondimeno nella decorazione scultorea della chiesa dei Gesuati non si può escludere l'influsso della dottrina sul Rosario di san Carlo Borromeo. Il santo, invero, insegnava in una sua lettera pastorale che le dieci Ave Maria si riferiscono ai dieci Comandamenti e le cinquanta all'anno del Giubileo, che significa remissione dei peccati, per cui il Rosario aiuta a osservare i Comandamenti: ed ecco quindi l'allusione a Mosè con le due tavole della Legge; e aiuta il perdono dei peccati: ed ecco quindi l'allusione ad Aronne, simbolo del sacerdozio ebraico che annunciava il giubileo, come pure abbastanza ovvia la relazione con i due rilievi del *Cieco nato* e del *Paralitico guarito*, sopra Aronne e sopra Mosè, di significato penitenziale.

Di doppia funzione, sacramentale e rosariana, sono anche gli otto rilievi. Mentre per alcuni di essi possediamo un preciso riscontro nelle scene del Rosario figurato opera del cinquecentesco veneziano Alberto da Castello (e propriamente: *Il battesimo di Gesù*; *Gesù appare a san Tommaso*; *Gesù appare alla Maddalena*, collegati dal da Castello il primo a Gesù nel tempio tra i dottori e gli altri due ai misteri gloriosi), per le altre scene non c'è un rapporto col citato testo rosariano, quanto piuttosto un significato sacramentale.

In *Gesù e il centurione* si esplicita il tema del rispetto e dell'umiltà nell'accedere ai sacri riti della chiesa e

Gian Maria Morlaiter, San Paolo

Gian Maria Morlaiter,
Gesù guarisce il cieco

Gian Maria Morlaiter,
Gesù e il centurione

in particolare dell'Eucarestia, dato che nel rito post tridentino il celebrante recitava ad alta voce la stessa formula usata dal centurione: «Domine non sum dignus». I due rilievi di *Gesù guarisce il cieco* e della *Piscina probatica* interpretano l'allusione iconografica cristiana alla penitenza e sono infatti collocati al di sopra di due confessionali. Lo stesso tema riappare nella scena con la *Samaritana al pozzo*, in ovvio significato della grazia ridata dal Sacramento e nella conversione dei peccati. Invece le due scene collocate sopra i pulpiti (il *Battesimo di Cristo* e *Apparizione di Gesù a Tommaso*) adempiono una funzione di ricordo e richiamo alla divinità di Gesù, com'è nella tradizione cristiana, quella divinità che viene proclamata dal pulpito con la sacra predicazione. Infine la scena con *San Pietro salvato dalle acque* può adempiere una finalità di invito all'umiltà e confidenza all'ingresso in chiesa, appaiandosi all'opposta scena del *Centurione*.

Eseguite nell'arco di dodici anni, tra il 1743 e il 1755, queste opere costituiscono la maggior concentrazione esistente di lavori del Morlaiter. In esse, ma soprattutto nei rilievi, il massimo scultore veneziano del Settecento fornisce una mirabile prova delle sue eccellenti capacità tecniche e, contemporaneamente, della raffinatezza della sua sensibilità rococò, evidente soprattutto nell'uso elegante del gioco di luci e di ombre, che conferisce alle scene un prezioso effetto coloristico. Meno felici alcune delle statue, in particolare quelle più tarde, nella cui realizzazione non pare essere estraneo l'intervento di aiuti.

In uno spazio ricavato sulla parte sinistra della navata, tra l'altare del Rosario e quello dei Tre santi è esposto infine il trono della Madonna che si usava per la processione del Rosario. Si tratta di un'opera di FRANCESCO BERNARDONI, uno dei maggiori scultori lignei del Settecento, che costituisce nel suo insieme un festoso esempio dell'artigianato liturgico veneziano del rococò. Su di esso è collocata una *Madonna del Rosario col Bambino*, prezioso documento della pietà popolare settecentesca, sul gusto spagnoleggiante delle «Madonne vestite», che ebbe qualche successo anche a Venezia.

Dal 1810 ai giorni nostri

Alessandro Longhi, Ritratto del parroco Antonio Ferrari

Come noto, il decreto governativo del 25 aprile 1810 soppresse tutte le congregazioni religiose: in conseguenza di esso, la chiesa e il convento dei Domenicani ai Gesuati vennero immediatamente chiusi. La chiesa ottenne nello stesso anno il titolo di sede parrocchiale, in sostituzione di Sant'Agnese; da allora la parrocchia, ampliata nei suoi confini, assunse la denominazione di Santa Maria del Rosario ai Gesuati. Il primo parroco fu Antonio Ferrari, che copriva la stessa carica a Sant'Agnese; il suo ritratto, opera di ALESSANDRO LONGHI (Venezia, 1733-1813), datata 1797, è conservato – assieme a quelli dei parroci successivi – nella sacrestia. Fortunatamente l'armonia settecentesca dell'insieme non ha subito nel tempo modifiche rilevanti: le poche aggiunte operate durante gli anni sono state infatti per la gran parte tolte d'opera nel corso del restauro generale dell'edificio eseguito negli anni tra il 1967 e il 1975, sotto la direzione delle competenti Soprintendenze e grazie anche al contributo dei Comitati Tedesco e Francese per Venezia. I

Bibliografia

Forestiere illuminato..., Venezia 1740 (ed edizioni successive).

ZANETTI G., *Della pittura veneziana*, Venezia 1771.

ARSLAN W., *G.B. Tiepolo e G.M. Morlaiter ai Gesuati*, in «Rivista di Venezia», 1932, pp. 19-26.

MUGNAINI C., *Chiesa di Santa Maria del Rosario vulgo Gesuati in Venezia*, Pistoia 1937.

MAZZARIOL G. - PIGNATTI T., *Itinerario tiepolesco*, Venezia 1951.

PALLUCCHINI R., *Piazzetta*, Milano 1956.

PALLUCCHINI R., *La pittura veneziana del Settecento*, Venezia-Roma 1960.

BASSI E., *Architettura veneziana del Sei e Settecento*, Napoli 1962.

MORASSI A., *A complete catalogue of the Paintings of G.B. Tiepolo*, London 1962.

VECCHI A., *Correnti religiose nel Sei-Settecento veneto*, Venezia-Roma 1962.

PALLUCCHINI R., *La pittura veneziana del Trecento*, Venezia 1964.

SEMENZATO C., *La scultura veneta del Seicento e del Settecento*, Venezia 1966.

DANIELS J., *Sebastiano Ricci, l'opera completa*, Milano 1967.

PALLUCCHINI A., *L'opera completa di G.B. Tiepolo*, Milano 1968.

MASSARI A., *Giorgio Massari architetto veneziano del Settecento*, Vicenza 1971.

DANIELS J., *Sebastiano Ricci*, Hove 1976.

FRANZOI U. - DI STEFANO D., *Le chiese di Venezia*, Venezia 1976.

PARIGI G., *La chiesa dei Gesuati*, tesi di laurea Università di Padova, Facoltà di magistero, a.a. 1977-78.

RESS A., *Giovanni Maria Morlaiter. Ein Venezianischer Bildhauer del 18. Jahrhunderts*, München 1979.

NIERO A., *Tre artisti per un tempio. Santa Maria del Rosario-Gesuati, Venezia*, Venezia 1979.

MARTINELLI PEDROCCO E., *Giammaria Morlaiter scultore veneziano*, in «Atti dell'Istituto Veneto di Scienze, Lettere ed Arti», 1980, pp. 341-354.

MARIUZ A., *L'opera completa del Piazzetta*, Milano 1982.

PALLUCCHINI R. - ROSSI P., *Tintoretto. Le opere sacre e profane*, Milano 1982.

Giambattista Piazzetta. Il suo tempo e la sua scuola, a cura di R. Pallucchini, Venezia 1983.

LEVEY M., *Giambattista Tiepolo*, New Haven and London 1986.

BARCHAM W.L., *The religious paintings of Giambattista Tiepolo*, Oxford 1989.

BORA G., *I leonardeschi a Venezia*, in *Leonardo a Venezia*, Milano 1992, nn. 111-135.

GEMIN M. - PEDROCCO F., *Giambattista Tiepolo, dipinti*, Venezia 1993.

Finito di stampare nel mese di novembre 1994
per conto di Marsilio Editori® in Venezia
da La Grafica & Stampa editrice s.r.l., Vicenza